……

De piano-oppas

Saskia van der Wiel
Tekeningen van Marja Meijer

Zwijsen

LEESNIVEAU

		ME	ME	ME	ME	ME		
AVI	S	3	4	5	6	7	P	
CLIB	S	3	4	5	6	7	8	P

muziek

Toegekend door Cito i.s.m. KPC Groep

De Nederlandse Kinderjury 2010

1e druk 2009
ISBN 978.90.487.0190.2
NUR 282

Vormgeving: Rob Galema
Uitgeverij Zwijsen B.V., Tilburg

Voor België:
Uitgeverij Zwijsen.be, Antwerpen
D/2009/1919/117

Inhoud

 ......

1. Nina's naam

Nina lag languit op haar bed met haar handen op haar oren. Ze wilde niets horen. Ze wilde nu eindelijk haar boek lezen. Het ging over het leven van Eskimo's. Het was een groot, dik boek met veel kleurenfoto's. Ze had het al twee weken in huis, maar telkens moest ze weer opnieuw beginnen. Dat kwam door de herrie bij haar thuis.
Nina zuchtte. Zat ze maar lekker rustig op de Noordpool. Een beetje tussen de ijsberen zwemmen, af en toe een visje eten. Of over het ijs glijden met een paar kleine zeehonden.
Superstil was het daar. Je hoorde alleen maar af en toe het ijs kraken. Of een grote plons, als er een berg sneeuw in het water viel.
Het was er heel koud, dus ze zat dik ingepakt in een bontjas. De Eskimo's zouden haar natuurlijk helpen om haar eigen iglo te bouwen. En daarna zou ze allemaal meubels hakken van blokken ijs. Eerst een schommelstoel, dan een boekenkast en een bed...
En aan de muur zou ze foto's plakken van de dieren daar.
Nina keek omhoog.
'Kijk niet zo stom!' zei ze tegen de poster boven haar bed.
Er stond een vrouw op met kort zwart haar dat slordig geknipt was. Om haar ogen had ze zwarte

Nina Simone
NINA
HAGEN

oogschaduw en op haar lippen paarse lippenstift. In haar linker mondhoek bungelde een sigaret. Ze keek Nina recht aan, brutaal en boos.
'En jij moet gewoon doorzingen!' riep Nina tegen de foto ernaast.
Daar stond ook een vrouw op. Ze had een donkerbruine huid en droeg enorm lange oorbellen, een sliert van ronde, glimmende dingetjes. Voor haar stond een microfoon. Haar haren waren opgestoken in een stevige knot. Ze had blote armen en droeg een wit gehaakt jurkje. Ze hield haar handen boven een piano.
Nina's vader had de poster met vier spijkertjes in de muur getikt. De foto was gemaakt tijdens een concert. Papa had 'm van internet gehaald en op z'n allermooist uitgeprint.
De twee vrouwen waren allebei zangeres, en ze heetten allebei Nina. De ene Nina maakte ruige muziek in de tijd dat Nina's vader jong was. Muziek met veel geschreeuw en wilde gitaren; hij was er gek op. De andere Nina was de lievelingszangeres van Nina's moeder. Daarom wisten ze meteen hoe ze hun dochter zouden noemen toen ze werd geboren.
En Nina vond het een prima naam. Maar ze was er niet blij mee dat ze naar deze twee Nina's was genoemd.
'Een goeie naam kan je later helpen als je muzikant wilt worden,' had haar vader vanochtend nog gezegd.
'Ik heet bijvoorbeeld Herman, en ik hou toevallig ook erg van Herman ...'

‘Brood,’ zei Nina, want ze had dit al wel duizend keer gehoord. Haar vader draaide die muziek vaak. Die meneer Brood had ook nog met die ene Nina gespeeld, die van die sigaret. Nou, dat klonk precies zoals ze eruitzag: boos en lawaaiig.
Ook die andere Nina zong lelijk en hartstikke schor, vond Nina.
En mama heet Ella, net als de wereldberoemde zangeres Ella,’ ging haar vader verder.
‘Omdat oma en opa daar zo van houden,’ zei mama.
‘Ze zong fantastische jazz.’
‘En ik?’ vroeg Mick, Nina’s grote broer die al in groep acht zat.
‘Jij, Mick?’ riep Nina’s vader, en hij tilde hem zomaar op aan zijn voeten. Papa had enorme spierballen, daarom ging dat heel makkelijk. Hij draaide Mick tussen zijn benen door en ving hem weer op.
‘Jij bent Mick en je bent wild!’ zei hij.
‘Ja! *Yes*, bedoel ik,’ zei Mick.
‘En we weten hoe dat komt,’ zei Nina’s moeder.
‘Mick Jagger,’ fluisterde Nina zachtjes.
‘Mick Jagger!’ riep Mick, en hij schudde woest met zijn haren.
Nina vond hem vreselijk suf.
‘En jij, Nina, jij bent wel de kleinste, maar je wordt vast de ruigste van ons allemaal. Want jij bent naar twee fantastische zangeressen genoemd!’
Dus ik moet net zo lawaaiig gaan worden als zij? dacht Nina. Nou, dat gaat mooi niet door.
Ze had geen zin in ruige muziek met gitaren en

drums. En geen zin in schetterende saxofoons en trompetten. Ze wilde niet zingen en swingen. Zij hield van lezen en een beetje dromen.

2. Herrie in de garage

Het was niet de eerste keer dat Nina op haar kamer zat te schuilen. Bijna elke dag na school was ze te vinden in haar oude schommelstoel. Dat was namelijk het stilste plekje in huis, ver weg van de garage. Daar stonden geen auto's of fietsen, want die konden er niet meer bij.
Twaalf jaar geleden hadden Nina's ouders het huis voor het eerst gezien. Het stond los van de andere huizen. Er was een grote tuin omheen. Ze vonden het een droomhuis, vooral toen ze de garage hadden ontdekt. Ze wisten meteen wat ze daarmee konden doen.
'Een extra kamer!' zei Ella, terwijl ze haar vriend in zijn arm kneep.
'Au!' zei Herman. 'Ja, voor onze muziek!'
Hij pakte haar stevig vast en ze deden een dansje. Ze hadden elkaar ook door de muziek ontdekt. Toen waren ze pas zestien en zaten ze op de middelbare school. Ze deden allebei mee aan een musical op school.
Ella kon heel mooi zingen en Herman speelde elektrische gitaar. Als zij ging zingen ... dan kreeg hij het warm, en speelde hij meteen uit de maat ... En zij zong vals zodra hij naar haar keek ...
Na school gingen ze bij Herman of bij Ella thuis oefenen voor de musical. Tenminste, dat zeiden ze

tegen hun ouders. Maar ze gingen vooral kletsen, chips eten en cola drinken. En later kregen ze het ook druk met stoeien en zoenen.
Ze bleven samen en ze beloofden elkaar dat ze altijd muziek zouden blijven maken.
Dus daarom stond deze garage twaalf jaar later propvol met instrumenten. Er stonden twee gitaren, een drumstel en een paar microfoons. Aan de muur hingen posters en foto's van beroemde muzikanten. Er stonden kasten met boeken over muziek, en rijen cd's en platen.
Er was ook veel troep: snoeppapiertjes, zakken borrelnootjes, flessen spa rood, borden en bekers. Er lagen kladblaadjes, pennen, gummen en potloden. Er hingen ook foto's van Ella en Herman. Mick stond er ook op, want hij drumde al vanaf zijn vierde jaar.
'Wat ga jij spelen, Nina?' vroegen haar ouders elke week wel een keer.
'Je mag op muziekles, dat weet je toch? Of zullen wij je zelf leren spelen? Wil je zingen of liever gitaar spelen? Of vind je drums leuker, net als Mick?'
Nina nam wel eens vriendinnen mee naar huis. Die vonden de garage altijd superstoer.
'Wauw, wat veel instrumenten!' riepen ze dan. 'Mag je echt overal op spelen?'
En dat Nina's ouders zo gek van muziek waren, dat vonden ze helemaal fantastisch.
'Wat een toffe ouders heb jij, Nina,' zeiden ze dan. Of ze zuchtten: 'Oh, ik wou dat ik hier woonde ...'
Allemaal wilden ze een tijdje in de garage rond-

JOHNY
GUITARE

neuzen voor ze eindelijk meegingen naar Nina's kamer.
Niemand die Nina kende, vond de muziek bij haar thuis niet helemaal het einde.
Niemand, behalve Nina zelf ...

3. Onderweg

'Kom Nien, we gaan weg,' zei Nina's moeder.
Ze kwam Nina's kamer binnen met haar jas al aan. Onder haar rechteroor zat de telefoon geklemd.
'Ja mam, we gaan nu weg,' zei ze. 'Ja, we hebben alle partijen bij ons, dat vroeg je net ook al! Ja, het drumstel zit al in de kofferbak. Ja, tot straks, ja, kusjes, dag mam, dag hoor!'
Ze drukte de telefoon uit en kwam naast Nina staan.
Op Nina's bed lag een stapeltje boeken klaar. Een sprookjesboek en drie boeken met de avonturen van de kleine kapitein. Daarbovenop lag een boek over het regenwoud, en daarbovenop haar lievelingsboek over de Noordpool.
'Hé, had je dat boek niet al uit, dat van de Noordpool?' vroeg haar moeder.
'Ja, maar ik lees er nog steeds in want ik weet er nog bijna niks van,' zei Nina.
'En die andere boeken, moeten die ook allemaal mee?' vroeg haar moeder.
'Pfff, Mick neemt drie soorten drumstokjes mee,' zei Nina een beetje verontwaardigd. 'En ook zijn bekkens en zijn triangel en de eitjes, en al die andere rammelende dingetjes. Dat kost veel meer plek dan mijn boeken!'
Haar moeder aaide Nina over haar bol. 'Dat is zo,

boekenwurmpje. Hopla, stop ze maar in je rugzak.' Ze gingen een weekend logeren bij oma en opa, de ouders van mama. Die woonden helemaal aan de andere kant van Nederland, in Drenthe.

Onderweg zat Mick op alles te tikken wat hij te pakken kon krijgen.
Eerst roffelde hij met zijn vingers op het raampje.
'Mick, hou op, ik word helemaal zenuwachtig van jou!' riep hun moeder.
Daarna schudde hij in de maat met een zakje muntdrop.
'Goh, wat heb ik ineens een trek in drop!' zei Nina. Ze pakte het zakje af, maakte het open en goot een paar dropjes in haar mond. Daarna hield ze het zakje stevig gevangen onder haar linkerbeen.
Intussen trommelde Mick al met twee lollies op zijn benen, tot ze kapot braken. Gelukkig voor hem vond hij snel een zak nootjes.
'Nootjes klinken veel beter dan drop!' zei hij, met een grijns naar Nina.
'Hoe komen we toch aan zo'n rammelende zoon?' vroeg hun vader.
'Hoe komen we aan onze stille Nina, kun je beter vragen,' merkte mama op.
Ze keek achterom en glimlachte naar Nina.
Die had haar muts opgezet en die van Mick eroverheen gedaan. Zo hoorde ze lekker niks meer van zijn gerammel.
Ze keek naar de witte wolken die allemaal verschillende vormen hadden. En naar de koeien die

traag door het weiland liepen, van het ene naar het andere plukje gras. Ze zag de kraaien op de hekken, die zaten te krijsen.

Ze volgde een lange gele trein langs de weg, die veel sneller reed dan hun auto. En als ze langs een rivier reden probeerde ze snel of ze de namen van de boten kon lezen. Dat waren vaak meisjesnamen: 'Geertje' of 'Annebel' of 'Jeannette' of zo.

'Hé, Ella!' riep ze ineens. 'Kijk dan, mam!'

Het was een vrachtschip, rood met groen en wit.

'Ha ha, kijk eens hoe goed die boot vaart,' zei mama.

'Dat komt natuurlijk doordat hij Ella heet!'

'Waarom heten boten nooit naar jongens, pap?' vroeg Mick.

'Boten heten meestal naar geliefden, en er zijn maar heel weinig vrouwen kapitein,' zei papa.

'Stom is dat,' zeiden Nina en mama tegelijk.

'Ja, alsof wij dat niet kunnen!' zei mama.

'Mm, autorijden lukt je ook niet helemaal,' zei papa.

'Nou zeg, hoor je dat?' Mama keek om naar Nina en trok een gek gezicht.

Papa zette de radio aan. Er klonk vioolmuziek.

'Bah, wat een kattengejank!' riep Mick.

Helemaal niet, dacht Nina. Ze vond die violen juist mooi passen bij de wolken in de blauwe lucht.

Maar papa draaide aan de knop van de radio. Toevallig kwam er een liedje dat ze allemaal goed kenden.

'De Rollende Stenen!' riep Mick.

De band heette eigenlijk Rolling Stones, wat Engels is voor rollende stenen.
Nina snapte niks van de tekst, want die was ook Engels.
'Charlie is echt goed,' zei Mick, met een roffel op zijn benen.
Hij bedoelde de drummer van de groep. Hij wist van veel bands wie de drummer was, want dat vertelde papa er vaak bij. Mick was altijd apetrots als hij namen kende.
'Die violen vond ik veel mooier,' zei Nina.
Niemand hoorde haar, want papa had de radio intussen veel harder gezet en mama zong mee.
'Veel mooier,' zei Nina nog een keer tegen de koeien en de kraaien in de wei.

4. Oma en opa

Mick belde bij oma en opa aan. Niet gewoon één keer, maar in een ritme, alsof hij aan het drummen was.

'Weet je welk liedje dit is?' vroeg hij aan Nina.

En hij deed het nog een keer en nog een keer.

'Lawaai van Mick,' zei Nina.

'Jaja, hoho, daar ben ik al!'

Oma zwaaide de deur open.

'En daar zijn jullie ook, gezellig, kom binnen!'

Ze tilde Nina op en gaf haar een zoen.

'Oei, je wordt te zwaar. Dit gaat niet meer,' zei ze, terwijl ze naar haar rug greep.

Binnen zat opa achter een elektrische piano, maar hij sprong meteen op toen Nina binnenkwam.

Hij gaf haar een stevige knuffel en daarna bekeek hij haar eens goed.

'Dag meidje, je haar is weer langer geworden!' zei hij.

'En daar hebben we onze superdrummer!' riep opa.

'Hoi superopa,' zei Mick, en hij gaf opa een voorzichtige stomp.

Daarna draaide hij snel even aan een knop op de elektrische piano en speelde wat. Een knetterharde gitaar galmde door de kamer.

De twee grasparkieten van oma en opa begonnen druk te hippen en te kwetteren. Gelukkig zette oma

de piano snel uit.
'Straks muziek. Nu eerst jullie bagage,' zei ze.
Met z'n vieren liepen ze een paar keer heen en weer met de spullen uit de auto. Als laatste kwam Micks drumstel, dat rammelde en rinkelde en bijna uit elkaar viel.
Mick en Nina kregen samen de logeerkamer die uitkeek op het bos. Nina pakte meteen haar pyjama en haar boeken uit.

Oma bakte de allerlekkerste appeltaarten. Gelukkig had ze ook nu taart gebakken. Nina had zich er zo op verheugd! Ze dronken er warme chocola bij met slagroom die Nina had geklopt.
'Zo, vertel eens: wat gaan we allemaal spelen dit weekend?' zei opa.
Mick begon namen op te noemen van bekende popliedjes.
Na een tijdje deed mama ook mee, en toen papa. En nog weer later riepen ook oma en opa allemaal nummers. Nina keek heen en weer van de een naar de ander. Ze kende geen enkel liedje, want ze kon al die namen nooit onthouden.
Opa en oma waren lief, maar het was jammer dat ze ook zo dol op muziek waren ...
Ze keek over iedereen heen naar buiten, naar het bos. Onder de bomen groeiden allemaal krokussen en narcissen. Prachtig vond Nina dat!

'Twiep twiep!' hoorde ze.
Dat was een van de twee kanaries, die Ringo heette.

'Wiep priedewiep!'

Dat was Paultje, de andere kanarie.

Zelfs de vogels hier waren vernoemd naar muzikanten. Hele beroemde, uit een popband van vroeger, toen opa en oma jong waren. Nina had wel eens foto's van ze gezien. Ze vond niet dat de kanaries erg op hen leken. Maar opa en oma hoopten dat ze mooi zouden gaan zingen met zulke namen.

'Fiediewiep twiep!' riep Ringo en hij fladderde druk door zijn kooi.

'Je bedoelt zeker dat ik naar buiten moet,' fluisterde ze.

Ze sprong op en rende de kamer uit.

In het bos rook het lekker naar natte bladeren en hout. Bij elke stap die Nina zette, vloog er een vogel op. Ook zag ze een paar eekhoorns tussen de bomen door rennen.

Na een tijdje kwam ze bij een open plek in het bos. Nina stond doodstil. Ze probeerde niet meer te kraken met de takjes op de grond. Het zonlicht viel in banen door de bomen. Het leken wel gouden gordijnen. Zo'n mooie plek had je niet bij hen thuis in de stad!

Ineens begon er een vogel te zingen.

Nina keek omhoog en speurde tussen de takken of ze hem zag. Nee, hij had zich goed verstopt. Ze zag alleen maar heel veel blaadjes in allerlei kleuren groen.

In verte zong er ineens een andere vogel. Die had de eerste zeker gehoord. Samen zongen ze verder,

eerst de een en dan de ander, en dan weer de een ...
'Hé, vogels, horen jullie mij?' riep Nina.
Nou, daar leek het niet op, want ze zongen gewoon verder.
'Jullie liedjes zijn veel mooier dan die van pap en mam en Mick. Veel en veel en veel mooier!'
Ze hoorde wat takken ritselen, en kort daarna zat er ineens een vogel vlak boven haar hoofd. Keek hij haar aan met zijn kraaloogjes, of leek dat maar zo? Hij zong een echt vogellied, voor haar alleen, met allemaal mooie trillers en liedjes door elkaar heen.
'Jij hebt het maar makkelijk, jij hoeft geen instrument te kiezen!' riep ze omhoog.

5. Trompetten en saxofoons

Het was zondag. Dat rook Nina toen ze wakker werd. De geur van gebakken eieren kwam haar tegemoet. Die was helemaal vanaf beneden over de trap gegleden, en daarna onder de deur van de slaapkamer door. Ze wist zeker dat opa nu eieren stond te bakken. Hij kon dat als de beste: zes eieren tegelijk, in twee koekenpannen.
Ze deed haar ogen open. Het bed van Mick was leeg en het lag helemaal overhoop. De deur zwaaide open, en daar stond hij. Links droeg hij een rode sok en rechts een blauwe.
'Slaapkop,' zei hij.
'Rommelsok,' zei Nina.
Hij keek naar zijn voeten. 'Ja, mooi hè?'
Toch wisselde hij snel zijn rode sok om voor een tweede blauwe.
Nina wist waarom: vandaag kwam hun nichtje Mila. Ze was dertien en speelde al jaren trompet. Dat vond Mick stoer, en daarom wilde hij geen jongen met twee verschillende sokken zijn.

Een uur later ging de bel, weer en weer en weer. Het klonk net zo druk als gisteren met Mick. Mila holde de kamer in met de trompet op haar rug. Nina kreeg een zoen, en Mick ook. Hij kreeg meteen een knalrode kop.

Achter haar aan kwam oom Charlie, de broer van mama, ook met een trompet. En daarachter de neefjes Bram en Stef, tante Mollie en oom Bob. Alle vier droegen ze koffers in de vorm van saxofoons. Tante Mollie had de grootste, en met een grote zucht zette ze hem neer.
'Hallo hallo,' zei oom Charlie, en hij drukte Nina's hand helemaal fijn met zijn grote hand.
'Au,' piepte ze. Ze moest haar hand een tijdje schudden voor die weer normaal voelde.
'Dag pa,' zei oom, en hij sloeg opa zo hard op zijn rug dat opa begon te hoesten.
Oma gaf hij juist heel voorzichtig drie zachte zoenen op haar wangen.
De neven sloegen elkaar op de schouders en de nichtjes omhelsden elkaar stevig.
'Zo, daar is iedereen,' zei oma. 'Daar hadden we echt weer zin in, want alleen opa en ik ...'
'Dat kennen we nu wel, na veertig jaar,' zei opa.
Dat grapje was ook al oud, maar toch moest iedereen lachen.
'Juist,' zei oma, en ze keek glimlachend de kring rond.
Toen iedereen zat zei opa: 'Ik zeg: we doen eerst een rondje gouwe ouwe. Wat denk jij, Mick?'
Gouwe ouwe, dat waren nummers van die groep van Ringo en Paultje. Daar begonnen ze meestal mee.
'Mwa,' zei Mick. 'Ik doe liever iets van Mick, opa.'
'Nee, ik wil die ene van dinges, over Michelle,' zei Mila.

'Pfff, die is heel sloom,' zei Mick.

'Of dat liedje over die lange weg naar het huis van zijn vriendinnetje,' zei Mila. 'Zo romantisch!'

'Zóóó romántisch!' praatte Mick haar na, en hij schudde met zijn haren, net zoals Mila deed.

Het gaat weer zoals altijd, dacht Nina.

Vier keer per jaar kwamen ze hier bij elkaar, voor de muziek. En vier keer per jaar hadden ze een gesprek zoals dit, waarbij Nina zich verveelde. Dan leek het alsof ze niet helemaal bij haar familie hoorde.

Ze dacht aan de vogels buiten en keek opzij, naar de vogels binnen. Ringo keek haar met een scheef koppie aan en knipperde met zijn oogjes. Het leek alsof hij precies wist wat ze nu dacht.

Terwijl Nina het bos inliep, hoorde ze uit het huis achter haar de trompetten en de saxofoons. Ze bliezen om de beurt steeds dezelfde toon. Zo begon het altijd: ze moesten eerst goed de instrumenten stemmen bij opa's piano.

Ik weet veel mooiere liedjes, dacht Nina. Dát had ik moeten zeggen toen ze liedjes gingen kiezen. Liedjes van vogels, die kennen zij mooi niet.

Ze hoorde hoe Mick begon te drummen.

Boven haar hoofd hamerde een specht razendsnel met zijn snavel op een boom.

'Goed zo, jongen, je swingt echt, veel meer dan mijn broertje!' zei Nina.

In huis hadden de tien muzikanten net pauze toen Nina binnenkwam.

Acht hingen er met rode hoofden op de banken en de stoelen. Eentje zat ernaast in een schommelstoel, dat was oma.
En eentje liep rond en vroeg wat iedereen wilde drinken, dat was papa.
Oma maakte haar bril schoon met een zakdoekje met blauwe bloemetjes.
'Puf puf,' zei ze.
'Poeh poeh,' zeiden Mila en Bram tegelijk.
'Ging goed,' zei Mick. 'Toch, pap?'
'Drie cola, twee thee, drie biertjes ...' zei pap.
'Ik wil twee glazen appelsap, want ik heb dorst,' zei Nina.
'Hé Nina, lang niet gezien. Hoe is het met jou?' vroeg opa.
'Je hebt mijn solo gemist. Oma moest ineens hoesten,' zei Mila.
Oma nam twee dropjes en kuchte nog wat.
'Het was ook zo'n hoge noot,' zei ze.
'Misschien kan Nina oma's partij wel zingen, samen met tante Ella,' zei Stef.
'Ik kan niet zingen, want ik wil niet zingen. Dus ik ga niet zingen,' zei Nina.
'Nee, je wilt trompet natuurlijk!' zei Mila. 'Is echt heel gaaf, trompet!'
Ze hield haar trompet ondersteboven. Er liep een straaltje spuug uit.
Dacht ze nou echt dat Nina er zo zin in kreeg?
'Nee joh, ze neemt saxofoon!' riep Stef.
'Geen trompet en geen saxofoon, geen gitaar en geen piano,' zei Nina.

……

'En ze wil ook niet drummen,' zei Mick, terwijl hij een kapot drumstokje opraapte. 'Een gekke zus heb ik.'
'Ooit, op een mooie dag zullen we horen wat ze wél wil,' zei mama.
Ze trok Nina op schoot en neuriede 'Michelle' in haar oor.
Nina zat best lekker, maar achter opa zag ze haar boek over de Noordpool liggen. Daar had ze al uren niet meer in gelezen.
'Blijf even precies zo zitten,' zei ze tegen mama.
Ze sprong van haar schoot af, greep het boek en kroop weer terug.

6. De piano

Bij Nina thuis was er een kamer waar bijna nooit iemand kwam. Dat was een rommelhok met allemaal vergeten dingen. Doosjes met dingetjes en mappen vol papieren en post van de bank. Schoolschriften van Mick en Nina, en speelgoed waarop ze waren uitgekeken. Fotoalbums van vakanties van lang geleden, boeken vol postzegels van Mick, een schelpenverzameling van Nina. Er stonden kinderboeken die ze nu te kinderachtig vonden en leerboeken voor mama's rijexamen.
Verborgen onder al die spullen stond een oude piano. Die was nog van de moeder van opa geweest, die Mick en Nina nooit hadden gekend. Opa had hem gekregen toen zijn moeder overleden was.
Maar hij speelde nu veel liever op zijn elektrische piano.
'Dat is handig, want zo ben ik zelf mijn eigen orkest,' zei hij vaak.
Hij bedoelde dat je er gemakkelijk andere instrumenten uit kon toveren.
Jaren geleden had hij de oude piano aan zijn dochter gegeven. Die stond nu steeds stoffiger te worden, want hier in huis speelden ze alleen gitaar en drums.

Het was maandagmiddag en Nina kwam uit school.

......

'Joehoe, ik ben thuis!' riep ze, maar niemand gaf antwoord.

Ze liep langs de rode deur van de rommelkamer naar de trap. Toen bleef staan. Ze wist niet precies waarom.

Die deur daar. Ze móést er ineens achter kijken. Ze liep een paar stappen terug en deed de deur open. Hij piepte vreselijk. Je kon wel horen dat hij al lang niet meer open was gedaan.

Daar stond de piano met een laagje stof op de toetsen. Nina schoof de pianokruk naar achteren en ging zitten. Ze drukte voorzichtig een witte toets in.

'Pling,' deed de piano. Het klonk een beetje zielig.

Ze drukte een zwarte toets in. Die klonk iets hoger, maar net zo zielig.

'Kun je niet een beetje vrolijker doen?' vroeg ze. 'Er speelt eindelijk weer eens iemand op je!'

Daarna gleed ze met haar vinger langs alle toetsen, maar vrolijk werd het niet.

'Ik speel eigenlijk niks,' legde ze uit. 'Dus kan ik ook geen liedjes spelen.'

Ze drukte haar handen plat op de toetsen. De piano trilde en bromde, met al zijn lage en hoge tonen.

'Hatsjie, hatsjie, hatsjie!' nieste Nina. Dat kwam door al het stof.

'Dag zielig pianootje. Ik laat je wel weer alleen!'

7. Fatima en Lodewijk

Die avond kwam Fatima oppassen bij Mick en Nina. Ze was de oudste dochter van de buren van nummer 12. Ze paste vaak op hen, soms wel drie keer per week.
Hun ouders moesten dan met hun band ergens optreden. En dat gebeurde meestal 's avonds, op bruiloften of andere feesten.
'Ik moet jullie wat vertellen,' zei Fatima.
Ze keek hen verdrietig aan met haar donkerbruine ogen. Het was vast iets wat niet zo leuk was ...
'Vanavond is de laatste keer dat ik oppas,' zei ze. 'Ik krijg het te druk met school. Ik heb geen tijd meer.'
'Bah, die stomme school altijd!' riep Mick. 'Ik neem een heel korte school, en daarna word ik een beroemde drummer.'
'Ik zal het onthouden,' zei Fatima lachend. 'En jij, Nina, word jij een beroemde boekenlezer? Of ga je in de krant over boeken schrijven?'
'Ik word in elk geval geen muzikant, want dat is iedereen bij ons al,' zei Nina. 'Kom je nog wel af en toe mijn haren vlechten?'
'Beloofd,' zei Fatima, en ze begon meteen Nina's haar te vlechten.

Het was woensdagmiddag en Nina en Mick stonden met mama in de muziekwinkel. Ze moesten nieuwe drumstokjes kopen voor Mick.

Meneer Van Veenendaal, de baas van de winkel, praatte heel druk met Mick. Over alle soorten stokjes die hij verkocht. Dunne en dikke, korte en lange ...

Nina verveelde zich ontzettend. Ze keek naar de bril van meneer Van Veenendaal, die telkens een stukje verder van zijn neus gleed. Als hij er bijna afviel, hield een vinger hem elke keer net op tijd tegen.

Toen ze daarop uitgekeken was, liep ze naar de kast met de muziekboeken. In sommige boekjes stonden mooie, gekleurde plaatjes, van gekke beesten bijvoorbeeld.

Op een ladder voor de kast stond een meneer. Hij zette nieuwe boeken op de planken. Ze had hem nog nooit gezien.

'Hoi meisje, jij ziet er slim uit. Jij kunt me vast helpen,' zei hij. 'Vioolmuziek, moet dat bij Fluitmuziek, of links van Wals?'

'Viool schrijf je niet met een F,' zei Nina zachtjes.

'Ik kan dat nooit onthouden,' zei hij. 'Hoe zat het nou, denk ik dan, was het nou vluit en fiool?'

Misschien was het een grapje. Zo'n oude meneer kon natuurlijk best spellen.

'Dit is mijn broer Lodewijk,' hoorde ze meneer Van Veenendaal zeggen.

Hij stond naast haar, samen met mama, en keek omhoog.

'Hij helpt me in de winkel. Hij zit even zonder werk. Weet u niet iets voor hem, iets in de muziek

misschien? Hij pakt alles aan, hè broer?'
Hij klopte hem op zijn rug. De ladder begon ineens te wiebelen en Lodewijk greep zich aan de kast vast. De ladder viel om en de kast wankelde.
'Wooh!' riep Lodewijk, en hij gleed naast Nina op de grond.
'Hij is niet superhandig,' zei zijn broer, 'maar hij weet alles van muziek.'
'Ik val eigenlijk nooit, au,' zei Lodewijk vanaf de grond tegen Nina's moeder. 'En ik kan ook, au, goed spellen.'
Zijn broer hielp hem overeind.
Lodewijk gaf Nina een knipoog. Ze moest lachen.
'En sommige kinderen vinden me grappig,' zei hij.
'Misschien weet ik wel iets,' zei mama peinzend.
Ze keek heen en weer van Lodewijk naar Nina.
'Oh ja?' zeiden de broers Van Veenendaal tegelijk.
'Ik ga u daarover bellen. Dag meneer Van Veenendaal,' zei mama.
'Dag meneer Van Veenendaal,' zei ze nog een keer.
En ze gaf de heren allebei een hand.

8. De nieuwe oppas

'Ik moet jullie iets vertellen,' zei Nina's moeder de volgende dag bij het eten.
'Als het maar niet iets vervelends is,' zei Nina.
'Nee hoor, het is iets leuks,' zei haar moeder.
'Jullie weten dat Fatima niet meer kan oppassen.'
'Dat is niet leuk, dat is vervelend,' zei Nina.
'Maar ik heb een nieuwe Fatima gevonden. Nou ja, eigenlijk lijkt hij niet heel erg op Fatima.'
'Een híj?' riepen Mick en Nina tegelijk.
'Ik wil geen jongen als oppas!' riep Mick.
'Het is een meneer,' zei hun vader.
'Hij komt zo even op de koffie. Jullie vinden hem vast aardig,' zei mama.
'Ik wil geen meneer en ik hóéf trouwens helemaal geen oppas!' riep Mick.
Voor deze ene keer was Nina het met haar broer eens. Fatima wist leuke spelletjes en je kon uren met haar kletsen. Ze was altijd vrolijk en lief en grappig. Je vergat meteen dat ze de oppas was. Ze was meer een soort zus.

Nina gluurde tussen haar haren door naar de nieuwe oppas. Hij was best oud, misschien al wel vijftig of zo. Hij had een grote neus en veel grijze haren in zijn lange haar.
Hij had al twee koekjes laten vallen. Hij had een

gekreukeld jasje aan met een koffievlek op zijn rechtermouw. Telkens als het even stil was, humde hij zachtjes een liedje.
'Ik pas ook vaak op mijn neefjes,' zei hij tegen zijn kopje koffie.
Hij keek niemand aan. Was hij ineens verlegen zo zonder zijn broer?
'Morgen moeten we spelen in Enkhuizen, en het wordt laat,' zei papa. 'Wat denken jullie? Mag Lodewijk op jullie passen?' vroeg mama.
'Ik hoef geen oppas, dat zei ik toch?' bromde Mick.
'Goed, dan pas ik gewoon niet op jou, en dan pas ik extra goed op Nina,' zei Lodewijk.
'Dan gaan we de hele avond praten over hoe je 'cello' schrijft, met een s, en 'piano', met ie.'
Nina moest lachen.
'Goed,' zei ze zachtjes.

9. De eerste avond

'Dag jongens, denk erom: net zo braaf zijn als bij Fatima,' zei papa.

Mick sprong op zijn vaders rug. Papa verloor bijna zijn gitaar.

Mama gaf Nina nog een extra knuffel, en toen liepen ze de deur uit.

Toen Mick en Nina in de kamer terugkwamen, stond Lodewijk te hummen bij een foto in de boekenkast.

'Dat ben ik,' zei Mick, en hij wees zichzelf aan.

Hij zat te drummen achter mama die een microfoon vasthield. Rechts naast haar stond papa met zijn gitaar, en met een grote grijns op zijn gezicht.

'En waar sta jij, Nina?' vroeg Lodewijk.

Nina ging mooi niks zeggen. Ze had geen zin om voor de miljoenste keer uit te leggen waarom ze geen instrument speelde. Zeker niet aan iemand die de broer was van de baas van de muziekwinkel.

'Zij speelt niks,' zei Mick.

'Maar zij kan goed lezen, veel beter dan ik,' zei Lodewijk.

'Pff, lezen is suf en saai,' zei Mick.

Hij liep de kamer uit en stampte de trap op naar boven.

'Niet van de trap vallen, hoor, want ik mocht niet op je passen!' riep Lodewijk.

Hij keek naar Nina en zei: ‘Ik kan heel goed theezetten, wil je het zien?’
Nina knikte.
Lodewijk was niet Fatima, maar wel heel aardig.

Even later floot de fluitketel.
‘Een hoge E,’ zei Lodewijk.
‘Huh, hoe weet je dat nou?’ vroeg Nina verbaasd.
‘Daar hoef ik niks voor te doen. Ik heb heel goede oren,’ zei Lodewijk. ‘Dezelfde oren als mijn broer, gekregen van onze ouders.’
‘Dan kun je dus goed daar in die muziekwinkel werken,’ zei Nina.
‘Hm, ik vind muziek verkopen niet echt leuk,’ zei Lodewijk. ‘Het is veel leuker om zelf muziek te maken. Dat is echt het mooiste wat er is.’
Alweer zo’n muzikant die niets van mij zal snappen, dacht Nina.
Lodewijk staarde naar de foto met Mick en Nina’s ouders.
‘Wat maak jij dan voor muziek?’ vroeg Nina nieuwsgierig.
‘Ik speel piano,’ zei Lodewijk. Hij keek er niet erg vrolijk bij.
Nina dacht weer aan de stoffige piano in het rommelhok.
‘Piano speel je toch helemaal in je eentje?’ vroeg ze.
‘Nou, er zijn er ook wel die in een band spelen,’ zei Lodewijk. ‘En ik speelde met een enorm orkest. Ik speelde klassieke muziek. Weet je wat dat is?’
‘Klassieke muziek?’ herhaalde Nina.

‘Dat is muziek van lang geleden,’ zei Lodewijk. ‘En als je dat soort stukken speelt met een orkest, dan heet je concertpianist. Maar ik vond het veel te eng dat iedereen zo naar me keek, terwijl ik speelde. En toen was ik een mislukte concertpianist. En dat was ik maar zo kort dat niemand nu nog mijn naam weet.’
‘Ik wel, hoor,’ zei Nina. ‘Je heet toch Lodewijk van Veenendaal?’
‘Dat is lief van je, moppie,’ zei Lodewijk.
Hij klonk ineens nogal verkouden. Hij snoot zijn neus in een enorme roodgeruite zakdoek die hij uit zijn broekzak haalde.
’Maar wat betekent dat dan: mislukt?’ vroeg Nina.
‘Gewoon, dat niets goed lukt op die piano,’ zei Lodewijk.
‘Je vergeet bijvoorbeeld alle noten vlak voordat je moet spelen. Of je handen worden zo zweterig van de zenuwen dat ze van de toetsen glijden. Of je begint veel te vroeg te spelen.
Of je gaat veel te snel, zodat het orkest je niet kan bijhouden. En dan krijg je ruzie met de dirigent omdat je niet meer naar hem kijkt.’
‘Poeh, wat kan er veel misgaan,’ zei Nina.
Het leek haar vreselijk moeilijk om goed te lukken als concertpianist.
‘En wat voor muziek speelde je dan?’ vroeg Nina.
‘Het liefste muziek van Beethoven. Heb je wel eens van hem gehoord?’ zei Lodewijk.
Nina schudde haar hoofd.
‘Dat is een beroemde componist van heel lang gele-

den,' zei Lodewijk.
'Oh, uit de tijd van die popgroep van Ringo en Paultje?' vroeg Nina.
Lodewijk lachte.
'Nog veel langer geleden. Die muziek is meer dan tweehonderd jaar oud!' zei hij.
'Mijn ouders vonden zijn muziek fantastisch, dus ik ben naar hem genoemd. Hij heette ook Lodewijk, maar dan in het Duits.'
'Hé, wat grappig! Dat is bij mij ook zo!' riep Nina.
'Mijn vader en moeder vinden twee zangeressen heel goed en die heten allebei Nina. Soms maken ze voor de grap ruzie over naar wie ik vernoemd ben.'
Ze liep naar de kast met cd's en liet zien hoe de twee Nina's eruitzagen.
Lodewijk liep naar de boekenkast, pakte een dik boek uit een rijtje boeken en begon weer te hummen.
Het was een liedje dat Nina wel kende: Er is er één jarig, hoera, hoera.
'Dat dacht ik al, dat jullie deze boeken zouden hebben,' zei hij.
'De muziekencyclopedie, bedoel je,' zei Nina.
'Dat is een veel te moeilijk woord voor jou,' zei Lodewijk streng.
'Even kijken bij de B,' zei Lodewijk.
Hij liet Nina een plaatje zien van Beethoven. Hij leek precies op Lodewijk, met net zo'n grote neus en net zoveel wild haar.
Daarna haalde Lodewijk de thee, met ontbijtkoek.
'Ga Mick maar roepen,' zei hij.

POP

Nina rende de trap op naar boven, naar Micks kamer.
'Mick, kom je?' riep ze, en ze bonkte op zijn deur.
Mick antwoordde niet. Er kwam knetterharde muziek uit zijn kamer.
'Doei, Mick, laat maar, geeft niks hoor!' gilde Nina.
Ze rende snel weer naar beneden.
Ze had Mick nog geen seconde gemist. Het was supergezellig met de nieuwe oppas.

10. Mooie boel

'Echt wel balen dat hij blijft slapen,' zei Mick.
'Wat vind je nou zo leuk aan die rare Lodewijk?'
Ga ik niet zeggen, snap je toch niet, dacht Nina.
Papa en mama kwamen binnenlopen met hun handen vol dingen en tassen. Ze hadden alle spullen voor hun optreden van vanavond bij elkaar gezocht. Ze zagen eruit alsof ze het erg warm hadden.
'Zo, zijn jullie klaar voor Lodewijk?' vroeg papa lachend.
Papa gaf Mick, die erg chagrijnig zat te kijken, een aai over zijn hoofd.
'Nina zegt dat Lodewijk aardig en grappig is'.
'Ik vind er niks aan. Hij is te oud,' zei Mick.
'Tja, niet iedereen kan zo'n hippe vogel zijn als ik,' zei papa, terwijl hij met beide handen door zijn haar streek.
Links en rechts had hij vorige maand twee strepen weggeschoren. Nina vond het hartstikke lelijk.
'Ja hoor, pap, het staat best gaaf,' zei Mick. 'Maar zeg alsjeblieft nooit "hippe vogel" als mijn vrienden er zijn.'
'Ja, meneer Mick. Goed, meneer Mick,' zei papa.
De bel ging en even later stapte Lodewijk de kamer binnen.
Hij stak zijn hand op en zei: 'Nina, Mick, alles goed?'

'Nee, helemaal niet,' zei Mick, terwijl hij Lodewijk brutaal aankeek.

'Mick!' zei papa, en tegen Lodewijk: 'Sorry, Lodewijk.'

'Dan zal ik toch een beetje op je moeten passen, Mick,' grapte Lodewijk.

Zie je wel, hij is superaardig, dacht Nina.

Mama lachte naar Lodewijk.

'Ik zal je even de logeerkamer laten zien,' zei ze.

Lodewijk, Nina en Mick aten pizza, terwijl ze naar het Jeugdjournaal keken.

'Een 24-jarige man in Amerika kreeg een bijzondere straf omdat hij zijn rapmuziek te hard had staan. Hij mocht kiezen: óf 150 dollar boete, óf 35 dollar boete. Maar dan moest hij wel twintig uur naar klassieke muziek luisteren. Hij koos het tweede, maar hij hield het niet vol. Na een kwartier Beethoven koos hij toch nog voor de hoge boete.'

Nina gluurde naar Lodewijk, die een veel te groot stuk pizza in zijn mond had.

'Hm, mooie boel,' mummelde hij.

Daarna keek Nina naar Mick, die keek alsof zijn pizza beschimmeld was.

'Zo, ben ik even blij dat ik in Nederland woon,' zei hij met volle mond.

Daarna mompelde hij: 'Ik ben klaar,' en liep de kamer uit.

'Hoho,' zei Lodewijk nog, maar Mick holde al met drie treden tegelijk de trap op.

Hij liep heel swingend, echt als een drummer.

Lodewijk las de krant en Nina las een boek over het regenwoud. Tenminste, ze deed alsof ze een boek las. Maar ze dacht eigenlijk aan alles wat Lodewijk haar de vorige keer verteld had.
'Koekoek!' deed de koekoeksklok, en daarna sloeg hij nog zeven keer.
'Nog een halfuurtje Nina, dan moet je naar bed,' zei Lodewijk.
Nina haalde diep adem en dacht: een, twee, drie ... nu.
'Lodewijk, ik moet je iets laten zien,' zei ze.
'Oei, spannend,' zei Lodewijk en hij sloeg meteen zijn krant dicht.
'Je moet je ogen dichtdoen,' zei Nina.
Ze pakte zijn hand en trok hem mee naar de gang. Voetje voor voetje schuifelde hij achter haar aan. Aan het eind van de gang duwde Nina de piepende deur van de rommelkamer open.
'Nu mag je je ogen opendoen,' zei ze.
Lodewijk stond met zijn ogen te knipperen.
'Ik zie, ik zie ... een piano!' riep hij uit.

11. Storm in de rommelkamer

'Wat een snoepie ben jij!' zei Lodewijk, terwijl hij voorzichtig over de piano streek.

Hij nieste twee keer en snoot lawaaiig zijn neus. Hij schoof de pianokruk naar achteren en ging zitten.

'Een stoffig snoepie,' zei hij, en hij nieste voor de derde keer.

Hij legde zijn handen voorzichtig op de toetsen en duwde ze in. Nina hoorde allemaal tonen tegelijk, haar buik trilde ervan.

Lodewijk verschoof zijn handen en duwde opnieuw op de toetsen. Dit klonk anders, vond Nina, veel droeviger.

Hij legde zijn ene hand een stuk naar links en zijn andere naar rechts.

'Dit zijn akkoorden,' zei Lodewijk. 'Vind je het mooi?'

Nina knikte en ging zitten op een oude stoel. Ze deed haar ogen dicht. Als papa zijn gitaar stemde, klonk dat ongeveer net zo. Maar dan veel zachter, daar ging haar buik nooit zo fijn van trillen. Ook opa's elektrische piano klonk heel anders, want die had van die nepgeluiden.

'Het snoepie doet zijn best, maar hij is wel behoorlijk vals,' zei Lodewijk.

Aha, daarom klonk hij zo zielig toen ik erop speelde, dacht Nina.

MICKAEL JAKSON
Postzeg
PHOTOS

Ineens leek de hele kamer gevuld met muziek. Er klonken wel tien piano's tegelijk. Ze stormden van alle kanten op Nina af. Ze deed verschrikt haar ogen open.
Lodewijks armen gingen razendsnel van rechts naar links over de toetsen. Hij hijgde en kreunde en soms zong hij zelfs met de piano mee.
Nina liep weer in het bos bij oma en opa. Het stormde, en er vielen allemaal beesten uit de bomen. Een eekhoorn, een paar vogels met slordige veren, en toen een enorme olifant! Hij tilde haar met zijn slurf op zijn rug en begon hard te rennen. Het bos uit, door de heuvels, over de bergen, naar de zee ...
Een stapel papieren in de kast begon te schuiven en viel op de grond. Een schilderijtje gleed scheef. Nu hing het nog maar aan één spijker. Daarna kraakte de oude stoel en zakte Nina er pardoes doorheen.
Lodewijk stopte meteen, midden in een wilde riedel. Hij sprong op.
'Oei, heb je je pijn gedaan?' vroeg hij.
Nina schudde haar hoofd.
'Hé, hallo, daar hebben we Mick,' zei Lodewijk.
Nina keek om naar de deur. Ja, daar stond Mick. Hoelang zou hij daar al staan?
'Eh ...' zei Mick. 'Ik kwam alleen maar even eh ... iets pakken in eh ... de keuken.'
Hij staarde naar de piano en glimlachte. Eigenlijk keek hij net zoals wanneer hij lekker zat te drummen.
Zou hij het ook mooi vinden? dacht Nina verbaasd.

'Je speelt best oké, weet je?' zei Mick tegen Lodewijk.

'Echt wel mooi,' fluisterde Nina.

Ze trok snel haar vest uit, want ze had het ineens vreselijk warm.

'Kinders, dat was nou Beethoven,' zei Lodewijk.

'Doei,' zei Mick, en hij verdween naar de gang.

'Speel maar verder!' spoorde Nina Lodewijk aan.

'Wil je het ook eens proberen?' vroeg hij.

Nina plukte verlegen aan de strik in haar paardenstaart.

'Ik heb dat nog nooit gedaan, ik heb nog nooit iets gespeeld,' zei ze.

'Maar je kán het vast wel,' zei Lodewijk.

Hij schoof de stoel naar achteren.

'Ga zitten, dame. Wacht, je moet even iets onder je billen schuiven.'

Hij trok een kussen uit een berg in de hoek. De andere vielen op de grond. Het werd echt een gezellige puinhoop in de kamer.

Een halfuur later kon Nina al een liedje spelen.

Nou ja, als Lodewijk hielp.

'Grootvaders klok zegt bim bam,' zong Lodewijk mee.

Nina speelde die melodie op de piano.

'Grootmoeders klok zegt tikke takke, en het kleine polshorloge zegt tikketikketikke tikketikketak,' zong ze mee.

'Goed zo,' zei Lodewijk. 'Trouwens, mijn horloge doet ook tikke tikke tik: Nina moet naar bed.'

'Nee hoor, kijk maar op de klok, het is pas kwart voor acht,' zei Nina.

Ze wees naar een oude klok aan de muur. Hij stond al heel lang stil, maar dat wist Lodewijk natuurlijk niet.

'Die klok staat al honderd jaar stil. Dat weet je best,' zei hij.

'Ah ... kun je me niet nog een liedje leren?' probeerde Nina.

'Vooruit dan maar, omdat je Nina heet,' zei Lodewijk.

'Een liedje van Beethoven voor een meisje dat Elise heette. Maar eigenlijk is het nog veel te moeilijk voor je.'

'Tuurlijk niet, die andere kon ik toch ook heel snel?' zei Nina.

'Ja, je hebt wel een ietsiepietsie talent,' zei Lodewijk.

'Ik zal het wat makkelijker maken. Kijk: eerst speel jij alleen de melodie, met rechts. En dan doe ik straks ook mee en ben ik jouw linkerhand.'

Nina zuchtte tevreden. Er kwam een gaap aan, maar gelukkig kon ze die nog net binnenhouden.

12. Nina speelt

Zes weken later, op de eerste dag van de zomer zetten Mick en Fatima's broertje Haroen fakkels neer in de tuin. Twee vriendinnen van Nina liepen met een arm vol slingers van boom naar boom.

Nina zelf zat op een stoel midden in de kamer, terwijl Fatima haar haren invlocht. Fatima's twee zusjes bliezen ballonnen op, die ze overal ophingen.

Mama klopte slagroom, terwijl ze telde hoeveel stukjes taart er nodig waren.

'Charlie en Mila, Molly en Bob en de jongens, dat is zestien ...'

De bel ging en Nina keek naar het raam.

'Opa en oma!' riep ze vrolijk, en ze zwaaide.

'En ik kan weer opnieuw beginnen met je haar,' zuchtte Fatima.

Een uur later zat de kamer stampvol. De neefjes Freddie en Benny waren ook gekomen, met oom Bob en tante Mollie. Meneer Van Veenendaal stond de piano te bekijken, die naar de huiskamer was verhuisd.

Iedereen begon net aan oma's taart toen voor de laatste keer de bel ging. Daar stonden Fatima's ouders, in prachtige feestkleren. Ze brachten een grote schaal zelfgebakken koekjes mee.

••••••

‘Hartelijk welkom allemaal op ons jaarlijkse zomerfeest!’ riep papa.
Lodewijk speelde een feestelijke riedel.
Nina voelde mieren door haar buik kruipen, dat kwam door de zenuwen.
‘Dat hoort zo,’ had Lodewijk net nog tegen haar gezegd. ‘Zonder plankenkoorts speel je niet goed.’
Ze hoopte maar dat hij gelijk had.
‘Dit jaar hebben we een bijzondere, nieuwe gast,’ zei papa. ‘Lodewijk de concertpianist. Mag ik een hartelijk applaus?’
Iedereen klapte en Mick stampte hard met zijn voeten op de grond.
Lodewijk keek om en knipoogde naar Nina. Hij schraapte zijn keel en stond op.
‘Lieve mensen,’ zei hij. ‘Dat was mooi gesproken, maar ik ben een mislukte concertpianist. En dat is niet erg. Kom eens even naar voren, Nina.’
Nina vond het jammer dat ze nu twee vlechten had, anders had ze zich mooi achter haar haren kunnen verschuilen. Ze liep naar voren en ging achter de piano zitten.
‘Alleen is ook maar alleen,’ zei Lodewijk. ‘Dat heb ik ontdekt door deze dame hier. Nina en ik, wij gaan voor u spelen. Nina heeft de rechterhand bedacht en ik heb wat nootjes geknutseld voor links.’
‘Asjemenou!’ hoorde Nina haar vader fluisteren.
‘Het eerste liedje heet “Twee eekhoorns zonder hoogtevrees”,’ zei Nina.
Ze hoorde haar oma giechelen. Met haar rechterhand boven de toetsen deed ze haar ogen even

dicht. Ze zag twee eekhoorns met pluimstaarten, boven in de bomen.
Nina begon langzaam te spelen. Eerst een toonladder helemaal links, waar de noten heel laag klonken. Daarna steeds hoger, totdat de eekhoorns over elkaar heen buitelden.
Het was maar een kort liedje, maar het applaus was lang en hard. Toen Nina de kamer rondkeek, zag ze allemaal lachende en verbaasde gezichten. Lodewijk gaf even een klopje op haar been.
'Het tweede liedje heet "Hippe vogel", en het is voor papa,' zei Nina.
Zij speelde alleen maar precies op het goede moment elke keer de hoge a. Daardoorheen speelde Lodewijk ontzettend swingend links van haar.
Tijdens het applaus liet haar vader een brede grijns zien.
'Nog eentje dan "Herrie van Mick",' zei Nina.
Ze gluurde even naar Mick, die haar met grote ogen aankeek. Ze haalde diep adem en Lodewijk en zij begonnen precies tegelijk te spelen. Een enorm kabaal werd het, ze waren overal tegelijk met hun handen. Lodewijk zoemde, kreunde en zong, en de piano kraakte ... Toen ze klaar waren, zat zijn haar helemaal door de war.
Nina en Lodewijk stonden op en maakten een buiging.
Mick floot op zijn vingers. Mila, Benny, Freddie, Haroen en ook Fatima en haar zusjes deden mee.
'En dan nu een optreden van Lodewijk, de gelukte pianist!' zei Nina.

Haar vader wenkte haar en trok Nina op schoot.
Het werd heel stil in de kamer.
'Ik kies piano,' fluisterde Nina in haar vaders oor.
'Een bijzondere Nina ben jij,' fluisterde hij terug.

In deze serie zijn verschenen:

De geit is los!
Spring, meneer Luis!
De piano-oppas
Breek je nek voorzichtig
Een nijlpaard voor de juf
Een huis vol Herrie
Big Baps

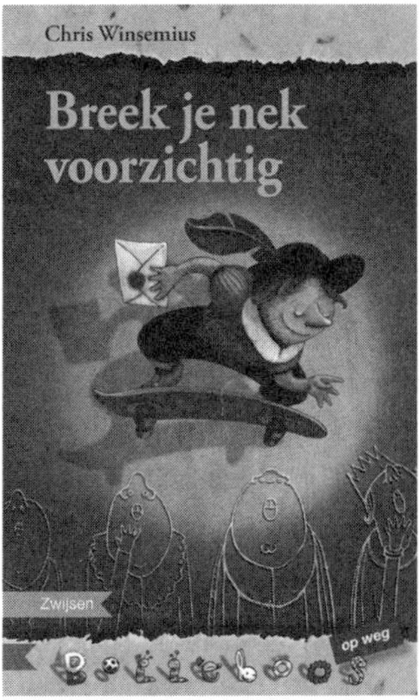
Chris Winsemius
Breek je nek voorzichtig
Zwijsen
op weg

Anke Kranendonk
Een nijlpaard voor de juf
nijlpaard
dak
Zwijsen
plus

Marcel van Driel
Een huis vol Herrie
Zwijsen
extra

Els Rooijers
Big Baps
Zwijsen
extra

 ……